G000056703

Terriblement **vert** !

Avec Dyscool, Nathan propose des romans jeunesse à succès dans une version adaptée pour les enfants dyslexiques et ceux qui ont du mal à entrer dans la lecture.

Les livres Dyscool sont plus confortables à lire et respectent le texte d'origine.

- La police, étudiée pour les Dys, est très lisible.
- La mise en page rend le déchiffrage plus facile.
- L'auteur a réécrit certains passages pour les rendre plus faciles à comprendre.

Cette adaptation a été réalisée en collaboration avec Mobidys, société spécialisée en dyslexie et en accessibilité cognitive.
L'histoire a été relue et testée par Cécile Zamorano, orthophoniste spécialiste de la dyslexie.

Avec Dyscool, lire devient amusant et facile !

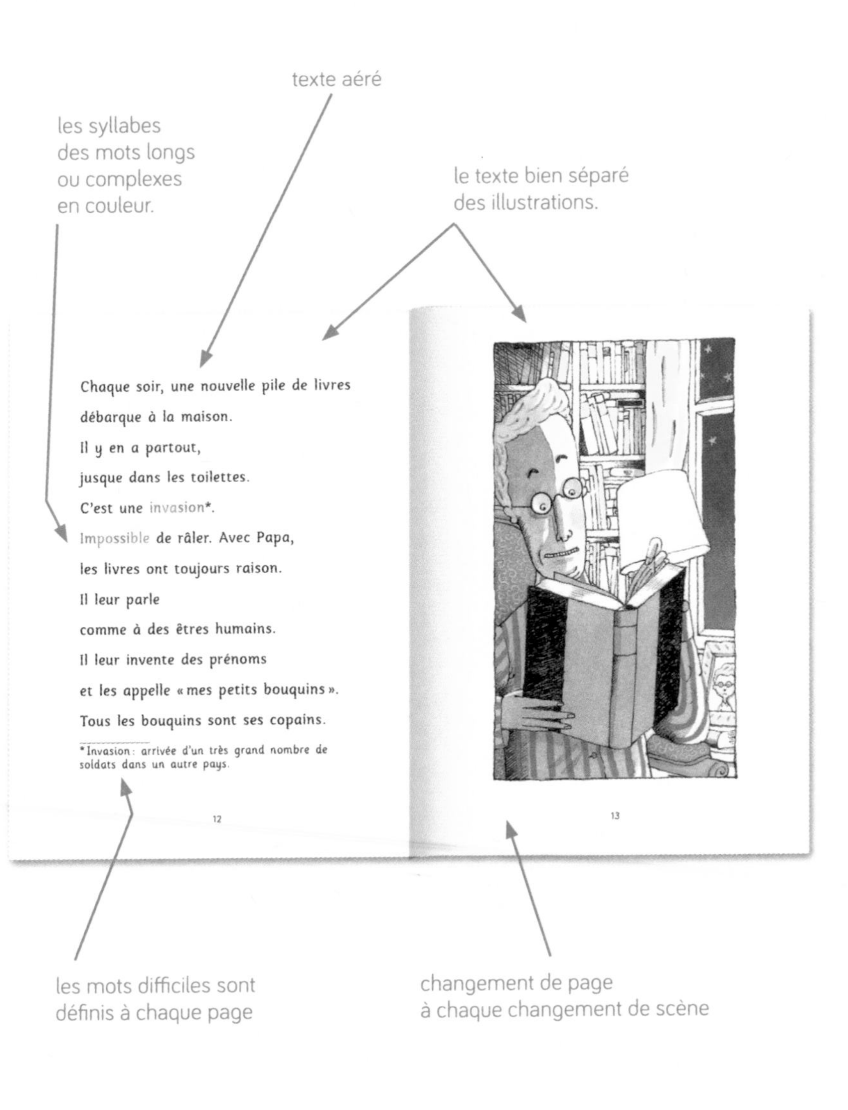
texte aéré
les syllabes des mots longs ou complexes en couleur.
le texte bien séparé des illustrations.
Chaque soir, une nouvelle pile de livres
débarque à la maison.
Il y en a partout,
jusque dans les toilettes.
C'est une invasion*.
Impossible de râler. Avec Papa,
les livres ont toujours raison.
Il leur parle
comme à des êtres humains.
Il leur invente des prénoms
et les appelle « mes petits bouquins ».
Tous les bouquins sont ses copains.
*Invasion : arrivée d'un très grand nombre de soldats dans un autre pays.
12
13
les mots difficiles sont définis à chaque page
changement de page à chaque changement de scène

Pour Nicolas et Nathan

Le label Dyscool a reçu le prix OCIRP
« Acteurs Économiques & Handicap » 2017

Loi n° 49-956 du 16 juillet 1949 sur les publications destinées à la jeunesse,
modifiée par la loi n° 2011-525 du 17 mai 2011.
ISBN : 978-2-09-258193-3

Hubert Ben Kemoun

Samuel

Terriblement vert !

Illustrations de François Roca

LES PERSONNAGES

Regarde bien la couleur de chaque personnage.
Dans l'histoire, elle t'indique qui parle !

Samuel est très curieux
et toujours prêt
pour l'aventure ! Mais le plus
important pour lui,
ce sont ses copains.

Oncle Julius est
explorateur et rapporte souvent
des objets étranges
de ses expéditions.
Il est très intelligent.

La mère de Samuel vit seule avec lui.
Et elle déteste quand il fait des bêtises !

Lionel est le meilleur ami de Samuel. Ils font des tas de bêtises ensemble et gardent tous leurs secrets.

SOMMAIRE

Quand tu as fini un chapitre, coche-le pour savoir où tu en es !

Chapitre 1

Le retour d'Oncle Julius

Oncle Julius est enfin de retour !

Julius est le frère de ma mère.

Il revient nous voir sans prévenir.

Il attend à l'aéroport

qu'on vienne le chercher.

Mon oncle voyage

aux quatre coins du monde.

De temps en temps,

il nous envoie une carte postale

du fin fond de la Mongolie

ou de la Terre de Feu.

Sa dernière visite remonte

à plus d'un an.

Je suis si heureux de le voir !

Maman est très émue

et un peu excitée.

Elle en a perdu ses clés de voiture !

Elle me hurle :

– Samuel, aide-moi à chercher !

Nous retrouvons ses clés

rangées dans son sac,

à leur place.

Nous dévalons alors l'escalier

en courant.

Elle me pousse dans la voiture...

mais elle doit remonter chez nous.

Elle est descendue

avec ses chaussons verts,

ceux avec d'horribles pompons roses !

C'est très moche !

Ce n'est pas la bonne tenue

pour aller chercher Oncle Julius,

le grand aventurier

de la famille.

Après avoir récupéré Julius

à l'aéroport,

nous rentrons tous à la maison.

Mon oncle nous raconte

toutes ses aventures.

Il en a tellement vécu !

– En Argentine, j'ai traversé
le désert de Patagonie.
J'avais des graines
dans le coffre, explique-t-il.
Ma voiture était
complètement pourrie !
Cela m'a pris 3 semaines.
Je suis arrivé à Buenos Aires.
J'ai pris un avion pour la France...
et me voilà !

Ma mère lui sert un troisième café.

Elle demande :

– Tu récoltes des graines ?

– Pas n'importe quelles graines !

Ce sont les graines

d'un arbre très rare, le galéaparso.

Il fait plus de 2 mètres de haut.

Les graines sont très utiles
pour faire des vaccins,
alors les laboratoires médicaux
les achètent très cher.
Je suis ici pour les vendre.
Après, on m'attend dans 15 jours
à Bornéo.

– Où ça ? je demande.

– C'est une ile située
dans la mer de Java.
Là-bas, je dois mener
une nouvelle expédition
dans la jungle !

J'adore entendre

tous ces noms d'endroits inconnus.

Oncle Julius parle

de l'autre bout du monde

comme si c'était la rue d'à côté.

Lui, son terrain de jeu, c'est la Terre !

Il ajoute :

– En attendant mes rendez-vous
avec les laboratoires,
il faut mettre les graines au frais.

– Ce n'est pas dangereux
au moins ?

s'écrie ma mère.

– Non ! Simplement, il faut éviter
de les exposer à la lumière
et à la chaleur.
Elles pourraient être perdues.

Julius éteint la lumière du salon.

Puis il sort de sa valise

une boite en bois clair.

Il l'ouvre sous mon nez.

On ne voit pas grand-chose.

– Regarde, Samuel ! Voilà

les graines de galéaparso !

Au fond de la boite, il y a
une trentaine de petites graines
brun foncé.
On dirait de drôles de noisettes,
comme celles qu'on voit
au supermarché. Elles n'ont pas l'air
si précieuses que ça !

Mon oncle m'ordonne :

> – Je te les confie, Sam !
>
> Va les mettre au frigo !
>
> Et pas de bêtises, n'est-ce pas ?

Pas de bêtises, c'est promis !

Enfin, presque.

Chapitre 2

Lionel fait des bêtises

Mercredi après-midi, Oncle Julius

est parti à ses rendez-vous.

Maman est au travail.

Moi, je suis à la maison avec

Lionel, mon meilleur copain.

On joue à Total Chaos,

notre jeu vidéo préféré.

Lionel vient de traverser la jungle

sans perdre une seule vie !

Je suis allongé sur le tapis du salon.

J'attends qu'il perde la partie

pour récupérer la manette

et essayer de le rattraper !

Finalement, Lionel se fait tuer

par les crânes explosifs.

C'est enfin à mon tour !

En se levant, il me fait :

> – De toute façon,
>
> j'en avais marre…
>
> Et si on mangeait un truc ?
>
> Ça creuse, les morts-vivants !

– Laisse-moi jouer un peu d'abord !

– Je vais me servir

un bol de céréales !

Ça te dit ?

– Il y a aussi des bonbons

et des gâteaux dans les placards,

et puis plein d'autres trucs !

Ma mère prévoit toujours
trop de nourriture
quand elle me laisse seul
le mercredi après-midi.
Prends ce que tu veux dans
la cuisine. Quand tu reviendras,
je t'aurai battu !

Il me répond en criant
depuis le couloir :

– Tu rêves !

Mais je ne rêve pas !

Quand Lionel revient au salon

avec le gouter,

j'ai déjà bien avancé dans le jeu.

– Ils sont délicieux, tes bonbons.

C'est du réglisse ?

– Je ne connais pas TOUT

ce qu'il y a dans les placards !

Je n'écoute pas vraiment mon ami.

Je suis trop occupé

à éviter les attaques

d'une armée de pierres tombales !

– Non, je les ai trouvés
dans le frigo.
Ils sont un peu durs à mâcher,
mais ils sont très bons !

Oh non !
Je lâche brusquement la manette
en hurlant :

– Dans le frigo ?

Lionel n'est pas du tout inquiet.

– Du calme, je t'en ai laissé !

Il me montre la boite de graines.

Je crie si fort

qu'on dirait un des monstres

de notre jeu vidéo.

– Tu as mangé ça ?

– Juste 2 ou 3 ! proteste Lionel.

Arrête de crier,

il en reste pour toi !

Regarde, tu es tout rouge !

Tout rouge ?

J'ai raison d'être tout rouge !

Chapitre 3

La transformation en arbre

En un quart d'heure,

le visage, les bras et les mains

de Lionel

sont devenus vert clair.

Son cou est d'un vert plus foncé.

– Sam ! Qu'est-ce qui m'arrive ?

hurle-t-il d'une voix aigüe.

– Je ne sais pas !

Tu en as mangé combien ?

– 5 ou 6...

Ça n'était pas du réglisse ?

– Non, pas vraiment...

– Sam, fais quelque chose !

crie encore Lionel.

Bêtement, je réponds :

– Essaie de te calmer.

Enlève ta chemise,

comme ça on verra

ce qui se passe.

Lionel enlève son haut.

Je m'attendais à le découvrir

tout vert ;

mais c'est encore pire que ça.

Son torse est marron.

Pas couleur de feuille,

mais couvert de petites écorces*.

Il retire son pantalon.

Ses jambes aussi sont recouvertes

d'écorce.

---

* Écorce : enveloppe des troncs d'arbres.

Je ne sais pas quoi faire.

– Ne bouge pas, j'appelle l'hôpital !

– Mais c'était quoi dans la boite ?

– Des graines

que mon oncle a rapportées

d'Amérique du Sud !

Tu pousses, comme un arbre !

– QUOI ? crie Lionel.

Il tremble.

Je n'ose pas répéter.

Lionel a très bien entendu.

Ses grands yeux sombres me fixent.

Il a l'air terrorisé.

Il ressemble encore au Lionel habituel,

mais ce n'est plus lui.

Il me fait un peu peur...

Je demande :

– Tu as mal ?

– Pas du tout, répond-il.

Mais j'ai la trouille.

Et j'ai très soif aussi !

– Tu veux du jus d'orange ?

– De l'eau, c'est mieux !

Une grande bouteille d'eau !

Je l'abandonne

pour aller chercher une bouteille d'eau

dans la cuisine.

Quand je reviens, il me tourne le dos.

Il s'est collé à la fenêtre du salon,

dans la lumière du soleil.

Quand il se retourne,

je vois des feuilles dans ses cheveux !

Il y en a 3. Elles sont toutes petites.

Le bord est tout ondulé,

comme sur les feuilles des érables.

Est-ce que Lionel

s'en est rendu compte ?

Je ne crois pas.

Il refuse de boire dans un verre.
À la place, il attrape la bouteille
et la vide en quelques secondes.

– Je peux en avoir une autre,
s'il te plait ?

Lionel boit toute la réserve d'eau.
Ça fait 8 litres, quand même !

Maintenant, ses cheveux

sont presque recouverts par les feuilles.

Dans son cou,

une petite branche a poussé

jusqu'à 10 centimètres

au-dessus de sa tête.

Je dis :

– Tu sais, il faut vraiment
que j'appelle l'hôpital !

– D'accord ! Pendant ce temps,
je vais me remettre au soleil,
ça me fait du bien !

Je fonce dans la chambre de Maman
pour appeler les Urgences.
Je fais le numéro 10 fois.
À chaque appel,
le répondeur me dit de patienter.
C'est un vrai cauchemar !

Finalement, je décide
qu'on ira plus vite
en allant à l'hôpital à vélo.
Je retourne dans le salon
et pousse un grand cri.
Lionel n'a pas besoin d'aller à l'hôpital,
mais dans un parc !
On dirait un arbre énorme,
avec une douzaine de branches
qui partent dans tous les sens.

L'arbre-Lionel se retourne vers moi.

Il pleure en me demandant :

– Tu as eu l'hôpital au téléphone ?

Je mens :

– Ils n'ont pas voulu me croire.

On va y aller !

Alors, je vois ses racines.

Elles sortent de ses chaussettes

et bougent doucement sur le plancher.

Elles ont même creusé

un gros trou dans le tapis !

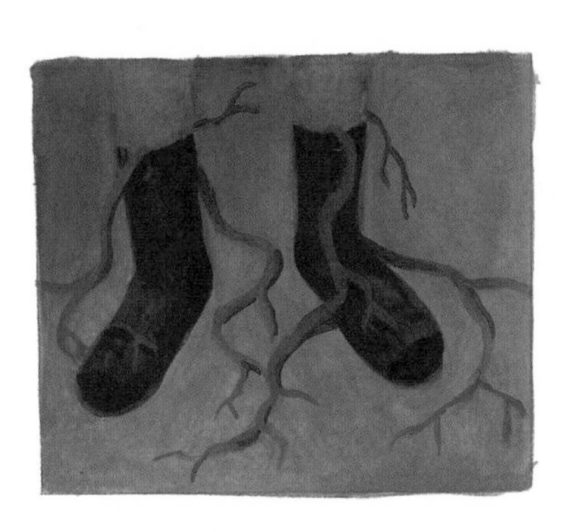

Chapitre 4

En route vers l'hôpital !

Lionel s'installe à l'arrière de mon vélo.

Je l'accroche comme je peux :

ses racines n'arrêtent pas de s'allonger.

Je dois les replier délicatement

pour qu'elles ne se prennent pas

dans les rayons ou la chaine.

Lionel se met à crier.

> – Arrête, Sam, tu me chatouilles !
>
> Pas comme ça,
>
> tu vas abimer mes racines !

Heureusement,

son corps est encore souple.

Nous arrivons à l'accrocher

sur le porte-bagage.

Lionel enroule ses branches-bras

autour de ma taille.

– Tu sais quoi, Sam ? me dit-il.
J'ai un peu peur.
Mais je me sens aussi
très grand et fort,
pour un arbre !

Je mets un moment avant de réagir.
Puis je monte sur le vélo
et je dis juste :

– Tant mieux si tu as le moral !
Mais c'est quand même moi
qui pédale.

Ça n'est déjà pas facile

de transporter un petit pot de fleurs

sur le porte-bagage d'un vélo.

Pédaler

quand quelqu'un est à l'arrière,

c'est lourd et fatigant !

Avec Lionel

qui se transforme en arbre

accroché au porte-bagage,

j'ai du mal à avancer…

Nous roulons vers l'hôpital.

Les feuilles de Lionel se fourrent

dans mon cou

et me cachent les yeux.

Je ne vois plus rien !

Sur notre passage,

les gens nous regardent bizarrement.

Ils doivent se demander

s'ils ne rêvent pas !

Pour arriver à l'hôpital,

nous devons traverser le fleuve.

La descente, ça va.

Mais de l'autre côté,

il faut remonter !

Je fonce pour prendre de l'élan.

Derrière moi, Lionel crie :

– Arrête-toi au bord de l'eau !

Je veux aller plonger mes racines

dans la rivière !

Je suis d'accord.

De toute façon,

je n'ai plus la force de pédaler.

Je détache Lionel

et le guide vers le bord de l'eau.

Son état a empiré.

Son tronc est plus sombre

et plus épais.

Il a de plus en plus de feuilles !

On ne voit plus que le haut

de son visage

entre ses deux branches principales.

Il n'a pas l'air aussi inquiet que moi.

C'est étonnant !

Lionel installe ses racines dans l'eau.
Puis il pousse un profond soupir de soulagement.

– Génial ! J'avais très soif.

– Ne bois pas tout le fleuve !
Tu vas être trop lourd à porter après.

– J'espère qu'on pourra me soigner aux Urgences.
Mais c'est très agréable d'être un arbre !

Là, par exemple, je sens
qu'il va pleuvoir.

Je regarde le ciel. Il n'y a pas
un seul nuage.

– Ça m'étonnerait.
Et puis tu trouveras
ça moins agréable
quand ma mère nous criera
dessus !

Zut ! On a oublié

de remettre les graines au frigo.

Quand ma mère va rentrer,

le salon sera transformé en jungle.

Elle va faire une crise cardiaque !

Je prends une décision.

– Lionel, je dois absolument

aller ranger les graines !

Je fonce chez moi et je reviens.

– Pas de problème,

répond mon copain.

Je suis très bien ici !

Je grimpe sur mon vélo

et commence à pédaler à toute vitesse.

Je ne suis jamais rentré aussi vite !

Chapitre 5

L'arbre le plus rare du monde

Quand j'arrive chez moi,

le salon n'a pas été transformé

en jungle.

Ouf !

Oncle Julius est déjà là,

assis sur le tapis du salon.

Il regarde les graines et répète :

– Incroyable !

C'est complètement incroyable !

– Tonton, je suis désolé.

Je vais t'expliquer...

Il se retourne brusquement.

Il a des larmes plein les yeux.

J'explique :

– C'est une erreur...

J'étais avec mon copain Lionel et...

Il me coupe sèchement :

– Est-ce que tu te rends compte ?

– Je sais, c'est une catastrophe.

– Une catastrophe ?

s'écrie mon oncle.

Regarde !

Les graines ont commencé

à pousser toutes seules !

Je me penche pour regarder.

Dans la boite,

chaque graine laisse échapper

une petite pousse verte.

On dirait des petites virgules.

– Je sais, c'est très grave, dis-je.

– Tu plaisantes, c'est fantastique !

Elles ont poussé toutes seules !

Un résultat si rapide

est incroyable !

Je ne comprends plus rien.

Je croyais qu'Oncle Julius

était en colère,

mais il saute de joie.

Ce sont des larmes de bonheur !

– Les galéaparsos sont

en voie de disparition.

Ça veut dire qu'il n'existe

qu'un très petit nombre d'arbres

de cette sorte sur la Terre.

– Je peux te montrer un bel arbre,

Tonton. Il n'est pas loin,

juste sur la rive du fleuve !

Julius veut voir ça.

Nous grimpons dans la voiture.

Sur le chemin pour retrouver Lionel,

je lui raconte toute notre aventure.

Quand nous arrivons là
où j'ai laissé Lionel,
je vois un bel et grand arbre.
Dans les branches,
plusieurs petits oiseaux
se sont installés.
Oncle Julius est ravi de voir
son arbre rare.

– Génial ! hurle-t-il.

Mais mon copain a disparu !

Je l'appelle,

mais je n'ai pas de réponse.

– Lionel ! Lionel !

Je continue d'appeler.

Je suis sûr que le tronc et les branches

ont dévoré mon ami.

Je commence à pleurer.

– Il est mort !

– Pas du tout, fait Julius

en caressant l'écorce.

Il est en parfaite santé.

Je n'ai jamais vu d'arbre

aussi beau !

– Je parle de Lionel !

De rage, j'attrape des pierres

et je les balance sur le tronc.

Tout est la faute de ce maudit arbre !

– Arrête ! crie Julius.

– Aïe, ça fait mal !

C'est l'arbre qui a gémi !

– Sam, trouve plutôt un moyen

de me sortir de là !

continue l'arbre.

Julius et moi n'avons jamais été

aussi étonnés.

– Lionel ? C'est toi ?

– L'arbre s'est détaché de moi,
répond Lionel.
Je ne sais pas comment !
Il est creux à l'intérieur.
Je suis enfermé dedans.
Je commence à étouffer !

Je crie à Julius :

– Il faut l'ouvrir !

– Tu es fou !
C'est l'arbre
le plus rare du monde !

– Un ami, c'est encore plus rare !

Je fonce vers la voiture.

Dans le coffre,

j'attrape la boite à outils de Maman.

Avec un gros tournevis,

je creuse un grand trou vertical

dans l'écorce.

> – Doucement, ça chatouille !
>
> fait Lionel.

Julius reste à côté sans rien faire.

Enfin, on commence à voir

le visage de Lionel et sa bouche.

Mon oncle se décide à m'aider.

Après une demi-heure d'efforts,

le passage est assez large.

Lionel se faufile hors de l'arbre.

Il est tout nu !

Il a laissé ses vêtements à l'arbre.

Mon copain a l'air un peu différent :

c'est comme s'il revenait

d'un voyage lointain.

Il se retourne vers le tronc

et caresse lentement l'écorce.

– Ne t'inquiète pas, dit-il à l'arbre.

Le trou disparaitra,

tu vas guérir !

Tu es costaud.

Et puis Sam et moi,

on prendra soin de toi !

Je m'approche à mon tour de l'arbre.

– Tu peux nous faire confiance !

À cet instant, il se met à pleuvoir.

Lionel avait raison !

Chapitre 6

La fin

Quelques jours plus tard,
mon oncle a vendu ses graines.

Avant de repartir,
il promet à ma mère de lui apporter
un nouveau tapis pour remplacer
celui que les racines
de Lionel ont troué.

Le galéaparso continue

de pousser tranquillement

au bord de la rivière.

Lionel et moi allons très souvent

jouer sous ses branches.

Grâce à lui,

la ville est devenue célèbre !

Des savants du monde entier viennent

pour l'étudier sous tous les angles.

Les touristes se font prendre en photo

contre son tronc.

Le trou dans l'écorce s'est refermé,

mais Lionel sait encore m'indiquer

l'endroit exact

où il se trouvait.

Parfois, il se tait et il regarde l'arbre.

Quand ça arrive,

je les laisse discuter en silence,

tous les deux.

Lionel a encore une tache verte

à la main droite.

Même avec du savon et une brosse,

elle ne part pas !

Elle est en forme de feuille

de galéaparso.

> – Je l'aime beaucoup,
>
> me dit souvent Lionel
>
> en me la montrant.

Je le comprends.

Et maintenant,

quand mon copain m'annonce

le temps qu'il va faire,

je le crois toujours !

FIN

L'auteur :

Hubert Ben Kemoun

Hubert Ben Kemoun est né en 1958.
Auteur de livres de jeunesse depuis plus de vingt ans, il a aussi beaucoup écrit pour la radio et le théâtre.
Il a reçu de nombreux prix littéraires au cours de sa carrière.
Hubert Ben Kemoun vit aujourd'hui à Nantes.

L'illustrateur : François Roca

François Roca a étudié à l'école
Émile-Cohl, à Lyon.
Après s'être consacré à la peinture
à l'huile, il a commencé à illustrer
des livres pour enfants en 1996.
Aujourd'hui, il continue de peindre
et réalise des couvertures et
des illustrations pour de nombreuses
maisons d'édition en France
et aux États-Unis.

Tu as aimé ce roman ?
Retrouve d'autres romans dans la collection

dyscool

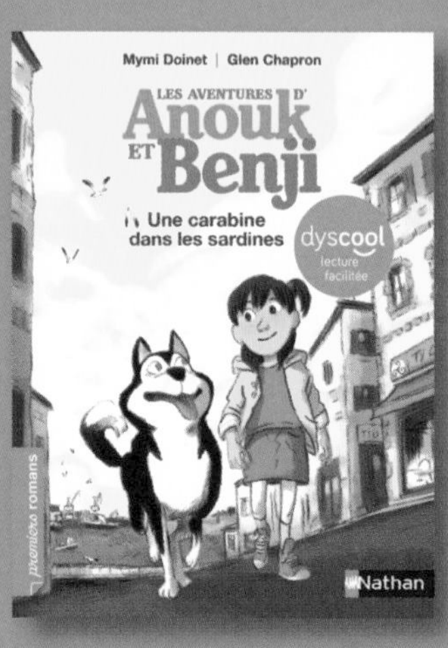

premiers romans

N° d'éditeur : 10251503 – Dépôt légal : mars 2018
Achevé d'imprimer en janvier 2019 par Pollina
(85400 Luçon, Vendée, France) - 87415